市原湖畔美術館
開館10周年
記念展

JN049124

湖の秘密

秘密

川は湖になった

ごあいさつ

この度、市原湖畔美術館は開館10周年を記念し、「湖の秘密 —川は湖になった」を開催いたします。

市原湖畔美術館がそのほとりに建つ高滝湖は、1990年、高滝ダムの建設によって誕生した人工湖です。高滝ダムは、「暴れ川」と呼ばれ度重なる氾濫で人々を苦しめた養老川の本格的改修と、市原市北部の工業化・人口増に伴う水源開発を目的に20年の歳月をかけて建設されました。しかし、それと引き換えに110戸の村が湖の底に沈みました。

房総半島の最高峰・清澄山を水源に、養老渓谷から東京湾に注ぐ五井の河口まで、市原市のほぼ中央を南北に縦断する総延長75キロにおよぶ養老川は、市原市の「母なる川」として親しまれ、固有の歴史、生活、民俗文化を育んできました。全国的にも知られたその曲流は、時に洪水による多大な被害をもたらしましたが、一方で肥沃な土壌を運び、豊かな菜の花栽培を可能とし、曲流を人工的に短絡し水田にする「川廻し」や、藤原式揚水機の発明など、人々の工夫による独特の景観を生み出しました。

「湖の秘密 —川は湖になった」は、養老川と高滝湖をめぐる地域の地勢、歴史、民俗を掘り下げ、この土地をひとつの発想の源として、絵画、写真、彫刻、インスタレーション、パフォーマンス、さまざまなメディアのアーティストたちが美術館内外、まさに「湖畔全体を美術館」として"サイトスペシフィック"ともいうべき作品を展開しています。アーティストの想像力と土地の力の化学反応により不可視の風景が現出し、新たな物語が始まることを願ってやみません。

「市原湖畔美術館」が「市原市水と彫刻の丘」のリニューアルによって2013年に設立されて10年。「里山の地に足でしっかり立ち、眼は広く世界を眺める」を志として掲げ、美術館としてのあり方を模索する私たちにとって、コロナ禍は大きな経験でした。休館を余儀なくされ、県をまたいだ人の移動が制限される中で、「地域の人たちにとって必要と思ってもらえれば、美術館は生き残れる」「地域の宝と思ってもらえるような美術館を目指そう」という確信を得ることができたのです。地に垂鉛を下ろしていけば、いつかそれは遠い世界の開口部へもつながるはずだと。今回の展覧会はそのような願いを込めて企画されました。

このような私たちの思いに呼応し、地域の魅力を発見し、詳らかにする素晴らしい作品を制作・展示してくださった8人のアーティストに心からの感謝と敬意を捧げます。そして展覧会の実現のためにご協力、ご協働くださった地域の団体・個人、すべての関係者のみなさま、ありがとうございました。

市原湖畔美術館

目次 Contents

湖畔の10年 ―「湖の秘密」はなぜ企画されたか

前田 礼
（市原湖畔美術館 館長代理）

市原湖畔美術館の誕生

「市原湖畔美術館」が観光文化施設「市原市水と彫刻の丘」のリニューアルによって2013年に設立されて10年が経過した。

その誕生の経緯は、2009年、市原市経済部有志が新潟県越後妻有（十日町市＋津南町）で開催されていた「大地の芸術祭　越後妻有アートトリエンナーレ」を視察したことに始まる。過疎高齢化が進む市原市南部の活性化の可能性を、大地の芸術祭総合ディレクターの北川フラムに打診したのだ。その相談の過程で、同地で来館者数の減少に直面していた「市原市水と彫刻の丘」の活性化と、名誉市民でもある銅版画家・深沢幸雄氏より寄贈を受けた作品の収蔵展示も兼ねた市にとっては初となる美術館建設計画がつながり、同施設をリノヴェーションして美術館とする流れになっていった。翌2010年、リノヴェーションのためのプロポーザルコンペが実施された。審査委員長は伊東豊雄氏。審査委員はみかん組の曽我部昌史氏、ワークステーションの高橋晶子氏、そして北川フラム。リノヴェーションには珍しいプロポーザルコンペということで話題となり、国内外231点の応募があり、その結果、独立したばかりの若いユニット「有設計室（現・カワグチテイ建築計画）」が選ばれた。湖面をイメージさせるロゴやサイン計画は色部義昭が担った。

美術館は、2014年にスタートすることとなる地域芸術祭「いちはらアート×ミックス」の中核施設として位置づけられ、都心から車で1時間という立地を活かし、「都会のオアシス」「ピクニックのできる美術館」を標榜し、2013年夏オープンした。

ユニークな建築とともに

改修設計では、既存の施設が抱えていた問題（設備の老朽化、デッドスペースの点在、使いにくい展示空間等）を解決し、建物の持つ高い回遊性やユニークな骨格を活かしながら、「アートウォール」と名付けた亜鉛メッキ鉄板（L字鋼）の壁を導入することで多様な空間をつくり出した。バブルの最中に設計され、その破綻と共に壮大な計画が未完のまま竣工した建物は、リノヴェーションによって他のホワイトキューブの美術館にはない独特の展示空間を生み出し、特に湖中をイメージしてつくられたと思われる地下からの9メートルの吹き抜け空間は、その後、多くのアーティストの創作を刺激することとなる。これまで現代美術から建築、デザイン、民俗学、音楽、世界の様々な地域の芸術文化まで幅広いジャンルの40本以上の企画展が開催されてきたが、この独特の建築空間は作品を息づかせ、キュレーションの鍵となっている。またヴィト・アコンチやKOSUGE1-16の恒久作品と一体化した外構は、ファッションや広告、映像のクリエーターたちを刺激し、撮影のロケーションとして雑誌、テレビ、映画等、さまざまな媒体に登場することになる。

コロナ下の気づき

地域に美術館があるということは、どのようなことなのか。2020年に始まったコロナ禍は、その問いをより深く考える契機となった。緊急事態宣言のたびに休館を余儀なくされ、海外からアーティストが来日することは叶わず、県をまたいだ人の移動も制限された。そんな中、開催した「メヒコの衝撃―メキシコ体験は日本の根底を揺さぶる」は、千葉が日本とメキシコとの交流の始まりの地であることを起点に、メキシコに影響を受けた日本人アーティストに焦点をあてることで、アートによってどのように世界につながりうるかを試みた展覧会だった。その会期中、農作業の帰りだろうか、あるご婦人が「岡本太郎が見られるの？」と訪ねて来られ、「今日はこんな格好だから、また来るわ」と言って、図録を買って帰られたとスタッフが報告してくれた。それは私たちを励まし、ある

図1 高滝ダムができる前（1978年）

図2 高滝ダムができた後（1990年）

気づきを与えてくれた。地域の人が美術館を生活の場の延長にあるささやかなハレの場、日常とは少し異なる世界を体験できる場だと思ってくれたら、美術館は生き残れるかもしれない──。「湖の秘密」はそうした模索の中から企画された。

　この展覧会の前身となったのが、2021年秋、「戸谷成雄　森─湖：再生と記憶」展の関連企画として行った展示「湖の記憶」である。地域の方々に写真や資料の提供を呼び掛ける過程で出会ったのが、今回の出展者のひとり、加藤清市である。加藤は美術館がある不入に生まれ、以来85年この地に暮らしている。小湊鐡道で通う五井にある会社の業務をきっかけに写真を独学した人だった。加藤は、1970年、高滝ダムの建設計画が承認され、110戸の村が沈むことが決まると、その過程を写真として遺すことを決意し20年近くにわたって撮影した。「湖の記憶」ではそのうちの32枚を《村落残懐》というタイトルのもとに展示させていただき、会期中には、かつての住民の方に集まってもらい「湖の記憶を語る会」を催した。

　今回の「湖の秘密」展は、その続編とも言えるものだ。この地にかつて暮らした人々の暮らしと思いを伝える加藤の写真がなければ、この展覧会は企画されなかっただろう。加藤は今回、1500枚以上の写真をデジタル化し、《水没した村の記憶》として33点を出展している。

川は湖になった

私たちの美術館がそのほとりにある高滝湖は、1990年、高滝ダムの竣工と共に誕生した人工湖である。つまりそれまで湖はなかったということだ。1978年と1990年に撮られた2枚の航空写真は、それを雄弁に物語っている[図1、2]。頻繁に氾濫する養老川の治水と、市原市北部の工業化と人口増による水資源の確保を目的とした多目的ダムの計画が本格的に進むのは、1970年10月1日の集中豪雨が契機だった。決壊した養老川の水は現在の高滝湖

図3 市原市を南北に縦断する養老川

の水位にまで至り、地域に壊滅的な被害をもたらした。そのすさまじさについては、本書におさめられた小幡修一さんのインタビューを読んでいただきたい（P78）。こうして20年の歳月をかけて高滝ダムは1990年に竣工し、私たちの美術館の前身である「市原市水と彫刻の丘」が開設されたのは、それから5年後の1995年だった。

「湖の秘密──川は湖になった」は、この高滝湖誕生の秘密と養老川の物語をメディアの異なる8人のアーティストによって多様な入射角から光を当てるものである。アーティストには、当館のボランティアであり、養老渓谷のガイドも務める佐藤有一さんの案内で養老川流域を上流から河口まで旅してもらい、それぞれの方法でリサーチいただいた。それは、館長の北川が越後妻有をはじめ全国各地で展開してきた地域芸術祭の手法に学んだものであったが、アーティストが作品を構想し制作していく過程は、まさに私たち自身が地域を発見し、地域の人々と出会い、縁を紡いでいく過程でもあった。

養老川の物語

展覧会は、岩崎貴宏のインスタレーションで始まる。岩崎は広島で生まれ育ち、今もそこを拠点に国内外で活躍するアーティストである。今回の作品タイトル《知波乃奴乃（ちばののの）》は、万葉集の中で大田部足人が詠んだ歌からとられ、「千葉」という県名の由来でもある。「房総」しかり、房総半島一帯は古来、その名が示すように自然豊かな地であり、そこで人々は工夫をこらしながら農業を営み、かつ日本有数の工業地帯を抱えるに至った。そうした千葉、市原の歴史や地理を繙きながら岩崎は、市原の「人工と自然」の関係を実に見事に、美しく作品へと昇華した。

岩崎は会場全体を水面に見立て、そこに千の葉を散らしたように、河口の京葉工業地帯から上流の渓谷へと遡りながら養老川の風景の断片を浮かべる。五井の臨海部には200以上もの石油化学工場群が稼働しているが、まず岩崎は石油から生まれるプラスチックでできた様々な日用品を組み合わせ、コンビナートの風景を透明な幻のように現出させた。やがてこの逆流の旅に緑のネットが現れる。「山？」それについては岩崎の洞察にとんだテキストを読んでほしい（P30）。灌漑のために建造した板羽目堰や鉄塔とともに浮かんでいる色とりどりの花は、美術館スタッフが近隣で採集してドライフラワーにした菜の花と造花を組み合わせたもの。美術館がある高滝湖周辺には、ビーバーのダムを思わせる廃材でできた高滝ダム、茎でできた藤原式揚水機、箸の鳥居、落花生の皮と実のボートが浮かび、"水中"にはルアーの魚が泳ぐ。"水底"の土の盛り上がりは、毎日大量に湖に流れ込む浚渫土を卵の殻に塗ったものだ。千葉県は養鶏が日本で二番目に盛んな県なのだ。卵をもらいに美術館から車で5分ほどのところにある元木養鶏を初めて訪れたスタッフの戸谷莉維裟は、その規模の大きさに衝撃を受けていた。そして逆流の旅は養老渓谷へと至り、そこには花々と葉だけが浮かんでいる。

このように岩崎は自然と人工を巧みに織り交ぜながら、養老川と市原の物語を描き出す。ユーモアにさりげなく包まれた超絶技巧による夢幻のような見立ての世界は、子どもの頃の夏休みの工作を彷彿とさせ、子どもにも大人にも驚きと喜びを与え、想像力を限りなく刺激するだろう。

岩崎の作品とほぼ並行するように展開するのが、大岩オスカールの《Yoro River 1》《Yoro River 2》である。全長約13メートル、高さ3メートルの大作だ。

オスカールは、サンパウロ出身の日系ブラジル人で、現在はニューヨークを拠点に活躍する。世界を旅してきたオスカールにとって、都市の始まりにつながる「川」は重要なモチーフで、これまでも度々描いてきた。この地域では、大きく蛇行した部分のもっとも近いところを短絡させる「川廻し」によって流路を変え、水田に活用することが盛んにおこなわれてきた。今回彼は、養老川の上流にある川廻しでできたトンネルから覗き見るように、流域の風景を描いている。

《Yoro River 1》に描かれた「弘文洞」は160年前に川廻しでできた巨大なトンネルだ。高さ20メートル以上もあったと思われるトンネルを、重機を使わずにツルハシだけで掘る膨大な労働は、想像するだけで圧倒されるが、それだけ米作りは死活の問題だったのだろう。弘文洞は景勝地、釣りの名所としても知られたが、1979年、頭頂部が崩壊している。

《Yoro River 2》では、そこから少し下流の「遠見の滝」から遠望した住宅地を走る小湊鉄道、堰や河口の工業地帯などが描かれている。小湊鉄道は1925年に開通したローカル線で、五井駅から上総中野駅までほぼ養老川と並行するように走っている。それまで市原の南北をつなぐ運送・交通手段は養老川の舟運だったが、以後小湊鉄道がそれに代わり、南部で農業に携わっていた人たちが、

北部の工業地帯で働くようになると、その足となった。

　この2枚の壁画の随所に描かれている生きものは、市原市の歴史的遺産である真高寺の山門に、葛飾北斎にも影響を与えたと言われる「波の伊八」が彫った動物や魚である。波の伊八は、江戸時代後期、房総各地で約50の寺社に作品を納めた宮彫師で、本名は武志伊八郎信由。躍動感にみちた波を表した欄間が見事であったため、こう呼ばれたという。波に泳ぐ江戸時代の彫り物師がつくりだした生きものを配し、オスカールは現実と想像、現在と過去が入り混じった養老川の風景をダイナミックに描き出した。

生きものたちが棲む世界

　《懐かしい家　今もきっとあるところ》は、千葉在住のふたりの彫刻家、尾崎悟と松隈健太朗による初のコラボレーションである。湖底に沈んだ村に息づくもののけたち、渓谷の森に棲む魑魅魍魎の世界をふたりの作家は表現した。

　出展を依頼したのは昨年末。その時、松隈は末期がんを患っていたが、出展を快諾。新作への意欲も語ってくれた。しかし今年2月、逝去する。

　松隈は一貫して、木と向き合い、そこにある生の本質を探りながら、姿かたちを彫り出してきたアーティストである。その作風は造園業を始めた父を手伝い、造園や剪定の過程で生まれる廃木材や流木といった生命を終えた木を扱う中でつくられていった。年輪や節、樹洞などに生命の軌跡を感じとり、太古から受け継がれてきた自然のありようを表現し、死にゆくすべての生きものたちの生の本質を彫りだしていく。松隈の仕事を手伝うようになった雅江夫人は、時に拙く見えると言われた松隈の作品について「松隈の好んで彫る木がとても彫るのが難しく、技巧的である事が分かってきた。生木の状態で水が溢れ出て来たり、硬い芯持ちに刃を傷めたりするのでひどく神経を使う。柔らかい楠に慣れてしまうとそういう素材は面倒臭いだけでなく、怪我の原因にもなりかねない。名前も分からない色んな種類の木を、木目を観察しながら少しずつ根気よく彫る。圧倒的な仕事量の積み重ねが、あえて拙く見える木の姿そのままの表現とあいまって、誰かに何事かを伝えるのではないかと思うようになった」と述べている。今回の展示では、雅江夫人が松隈に代わって養老川やその支流の上流域で拾い集めた動物の骨や石、流木などが加えられている。

　一方の尾崎悟は、金属を長い時間をかけて磨き上げた美しい抽象彫刻で知られるアーティストである。今回彼は当初のプランを変え、松隈を偲ぶ3点を制作した。木を見つめ、その中に宿る生命のありようを造形し続けた松隈を思い、自然の中のアトリエで自ら飼育するミツバチの巣箱の表面に生きものの痕跡を見出した尾崎は、いつものステンレスを封印し、巣箱を解体した支持体に溶解したアルミニウムを流し松隈への「手紙」を描いた。熱で焦げた板に刻まれたストローク、ミツバチのダンスを思わせる錫（すず）の文字、そして鏡のように光る涙。尾崎の作品は松隈の生きものたちが息づくための磁場を生み出した。

水没した村の風景

　南条嘉毅は、風景とその場所性をテーマとした作品を各地で制作してきたアーティストである。2021年の奥能登国際芸術祭では千葉県佐倉市の国立歴史民俗博物館と協働して「スズ・シアター・ミュージアム　光の方舟」のキュレーションを担当、住民参加で集めた民具を一堂に展示し、時代の語り部としての命を吹き込んだ。

　今回は、ダムの建設によって沈んだ村の記憶と風景をテーマに制作した。南条は加藤清市の写真を手掛かりに、かつての住人たちにインタビューを重ね、湖の周囲を何度も歩き、ボートから水中を覗き、消えてしまった風景の断片を集めていった。その過程で、養老川の氾濫によってつくられた肥沃の土壌「ネト」という言葉を知り、連日ユンボで除去作業が続けられる湖に注ぎ込む浚渫土を5トン、ボランティアの手もかりながら運び出し、乾燥し、地下の展示室の床に盛り上げた。吹き抜けの空間の1階を現在の湖の水位、海抜38メートルとし、そこから湖の底＝ステージを見下ろすという趣向だ。階段を降りるとそこに村の風景が広がる。主役は民具たち。昨年開館した市原歴史博物館が収集し初公開となる農具、民具、大八車などをお借りすることができた。今は営業していないが、かつての姿そのままに「積田鉄工」が美術館の近くに存在していたことも大きな発見だった。足を踏み入れた途端、止まっていた時間が動き出すようで、まさに「村の鍛冶屋」。農作業で傷んだ農具を治す鍛冶屋は人々の生活に不可欠だったことが伝わってくる。民具はまさに人々の生活、そこに流れていた時間を物語る。民具が奏でる音と光の5分間のドラマは、私たちを半世紀以上も前の村の世界にタイムスリップさせてくれるようだ。

湖畔全体が美術館

椋本真理子は幼い時にダムの魅力にとりつかれ、ダムをモチーフに作品を創り続けているアーティストである。ダムは人間と自然の関わりを最もダイナミックに表す建造物だと言えるだろう。椋本の関心は、ダムからさらに巨大人工物やリゾート地、花壇など、人の手が加わった自然へと拡がる。人間がいかに自然を切り取り、日常に馴染ませていくか、人工と自然の境界が曖昧になっていく様を、椋本のポップな作品は私たちに鮮やかに提示する。

　椋本は初めて市原湖畔美術館を訪れた時、ダムの一部のように感じたという。市原市水と彫刻の丘の設計者も、ダムを意識してこの建物をデザインしたのかもしれない。特に屋上は、眼前の高滝湖を眺める屋上庭園を夢想した花壇状の構造となっており、今回、椋本はこの屋上に花壇や水門をモチーフにした作品を展開、《Dam plaza（ダム広場）》とした。地下の踊り場にも作品を設置。建物全体に"ダム"を点在させた。ちなみに本展では、高滝ダム管理事務所のご厚意により、美術館をダムの一部とみなし、高滝ダムのダムカードを配布させていただいている。

菊地良太はアーティストであり、フリークライマーである。高い所があると、どこでもスススっと上ってしまう。フリークライミングの手法で、普通なら上れない場所、行けない場所、風景の中に自らの身を置き、その様子を写真や映像に記録する。こうした一連の行為が菊地の作品なのだ。日常の常識や境界、限界に疑問を投げかけ、身体を使って社会と対話し、自己表現する——それを菊地は「尊景」と呼ぶ。

　今回、菊地は高滝ダム湖の周辺をリサーチする中で、自分自身をひとつのダムと見立て、自分の意識の底にあるものを見定めようとした。崖の擁壁、ダム管理事務所のパゴダ、橋の下、湖中の彫刻、湖畔のデッキ、そして湖の中。まさに湖畔全体を美術館として、菊地の作品は展開する。彼の視点を通して湖畔を歩いてみてほしい。見慣れていた風景は異なる様相を見せるはずだ。

かくして8人8様、それぞれがまったく異なる角度からこの土地の物語を明らかにし、人間と自然がどのように関係を築いてきたかを詳らかにしてくれた。

ここから、地域の新しい物語が始まらんことを。

養老川と高滝ダムについての参考文献

『市原市史別巻』市原市教育委員会、市原市、1979年
『市原市史（下）』市原市教育委員会、市原市、1982年
『写真集／市原市の昭和史』安藤操著、千秋社、1990年
『写真アルバム 市原市の昭和』佐々木高志著、いき出版、2023年
『高滝ダム水没地域総合調査報告書』市原市教育委員会、1980年
『千葉県市原市高滝ダム水没地域総合調査概報』
　　市原市教育委員会＋高滝ダム水没地域総合調査団、1980年
『高滝ダム工事誌』千葉県、1990年
『湖面に映るふるさと —高滝ダムと人々の生活の記録』
　　高滝ダム周辺開発対策室編、市原市発行、1991年
『高滝ダムパンフレット』千葉県高滝ダム管理事務所
『私たちの養老川』地引春治著・発行、1987年
『小湊鐵道と養老川—渓流と沿線のふるさと讃歌』
　　石川松五郎著、千葉日報社、2001年
『房総の仙客 —日高誠實—日向高鍋から上総梅ケ瀬へ』
　　渡邉茂男著、創英社／三省堂書店、2017年
『養老川名人紀行 —18名人のSATOYAMA Lifeと出逢う旅』
　　千葉日報社著・発行、2018年
『チバニアン誕生 方位磁針N極が南をさす時代へ』
　　岡田誠著、ポプラ社、2021年
『加茂郷土文化研究会誌 第2号』加茂郷土文化研究会、1968年
『江戸時代の彫工 初代 波の伊八 ～武志伊八郎信由の世界～』
　　伊八会、2011年

晴れたら養老川、行こう

三橋さゆり
（日本建設情報総合センター審議役）

図1 ダムカード

図2 高滝ダムのダムカード

なぜ、ダムは造られるのか

土木の技術者として建設省（現・国土交通省）に入り、31年間、河川の治水や防災対策にかかわってきた。昨年7月にちょっと早めに退職して、もうどこかで大雨や地震があっても携帯電話が鳴らなくなって、今は少しほっとした生活を送っている。

私がやってきた仕事は、たとえば治水対策の計画や手法を練ったり、そのための施設である堤防などを作ったり、実際に大雨が降ったときに自治体が避難の判断できるように情報提供したり、そんなことであったが、その中にダムの運用や管理を行うというものがあった。山の中にあるダムである。

ダムそのものを造る仕事ももちろんあるのだけど、私はそうでなくて、できた後のダムを適切に運用する、たとえば洪水調節での操作や日々の維持管理とか、さらにはダムがある水源地域の振興みたいなことも一時期幅広く担当していた。

その当時、というのは20年ほど前であるが、世の中でのダムの評判がものすごくよくなかった。もちろんダムは、いろんなことをたくさん犠牲にして造られる巨大な構造物だ。自然も破壊する。そこに先祖代々住んでる人たちに立ち退いてもらわなければならない。しかし長いこと洪水被害に苦しんできた日本の人たちにとって、堤防を築くだけではどうしても防ぎきれない洪水へのプラスアルファの手段として、戦後の日本においてたくさん造られてきたのがダムである。それらは格段に流域の治水安全度を向上させ、水資源開発という側面も含めて、おおげさではなく日本の今日の安全で安心な生活を支えてくれていると思う。

なぜ、「ダムカード」は生まれたか

そのダムをもうちょっと世の中にわかってもらえないか

と悶々としていた頃、とあるダムのマニアがダムファンの集まるイベント（そういうものがなぜかあったのだ）で発した一言「ダムに行かないともらえないカードがあったらいいな」にヒントを得て、2007年から全国のダムで配布しているのが「ダムカード」[図1、2]である。

ダムカードには大事なルールがある。きっかけとなったダムマニアの発言のとおり、ダムに行かないともらえないということだ。これには2つの意味があって、ひとつは、ダムの現地に足を運んでもらって、実際にダムを目の前にしたときの迫力を体験することで、その魅力に気づいてほしいということだ。山の中に現れる異様な大きさの構造物、それそのものへの畏怖、人間が生きていくための所業、犠牲と恩恵、一方でゲートなどの機械設備の細やかさ、うっとりするほどの機能美、感じることは人それぞれだろうが、現地に来て初めて得られるものは大きい。

もうひとつは、ダムが立地する地域の振興である。ダムカードをもらいに来ることがきっかけで、初めて訪れるその土地の風景や食べ物を知ることができる。そして一期一会の出会いがあったりする。それはそう、アートイベントと同じだ。さらに湖に沈んだ地域の歴史を知るためのきっかけにもなってほしい。晴れた日には、ダムに足を運んでほしいのだ。

高滝ダムと養老川

さて今回の企画展「湖の秘密－川は湖になった」の舞台となる市原湖畔美術館は高滝ダムのほとりにあり、その高滝ダムは養老川の一部を沈めてできたダムである。堤高は24.5mと比較的小ぶりだが総貯水容量は1430万㎡もあるのである意味「効率の良い」ダムと言えるが、水没移転家屋は110戸もあったことを下流で恩恵を受けている人々は忘れてはならないだろう。

ダムの誕生によって生まれた高滝湖は、胃袋のような

図3 KOSUGE1-16《湖の飛行機》2014年　　　図4 チバニアン　　　● 　図5 被圧地下水の自噴水

形に広がり、湖畔のいくぶん平らなところは、はるか昔に養老川が流れていた河岸段丘だ。ダム湖によって再び水面が近くなったその段丘の上に、市原湖畔美術館はたたずんでいる。周囲は養老川の特徴でもある穿入蛇行の痕跡を今でもとどめて、複雑で入り組んだ風景が広がっている。

　高滝ダム湖は、私が市原市役所に在籍していた2014年以降は「いちはらアート×ミックス」の舞台にもなり、飛行機[図3]が湖面に浮かんだこともあった。今や高滝湖は、南市原エリアに入って間もなく広がる、養老川をたどる旅のひとつのインパクトである。

養老川を歩こう

高滝ダムから養老川の上流にも足をのばしてみよう。養老川の魅力は、なんといっても、房総半島の山の中を右へ左へと穿って大きく蛇行する姿だろう。「ヨホロ」（膝の裏側の意）が呼び名の由来ともいわれ、地形図をみればその蛇行っぷりがよくわかる。さらに目を凝らすと古い旧河道の蛇行跡も見えてくる。

　もともと房総半島は海底に積もった泥や砂が、プレート運動にともなって隆起して地上にあらわれたところ。世界でもまれにみる速さで隆起した房総半島の新しくて（といっても数百万年オーダーだが）柔らかい地層を、養老川は自由に曲がりくねりながらどんどん下刻して、川沿いにいくつもの大露頭を生み出してきた。その年月に思いを馳せながら歩くのは楽しい。

　小湊鐵道の飯給駅と月崎駅の間には、線路に沿って古い道筋があり、たどっていくと、明治時代に掘られた3本の素掘りのトンネルがある。かつてこのあたりの集落は、深い谷を刻む養老川沿いに移動することが困難だった。だから、集落のある河岸段丘と河岸段丘を結ぶ峠を楽に越せるように人々が掘ったのだろう。皆それぞれ形状が違って美しく、苔の匂いが心を洗う。

　また平野部が少ないこの土地では、江戸時代以降、養老川の蛇行部分のもっとも近いところをトンネルで短絡させた「川廻し」により、旧河道を水田に活用することが盛んにおこなわれてきた。その川廻し部分を目指して藪を漕ぎながら川に降りていくと、目をみはるような隧道が突然現れて、どうどうと流れる水の勢いに息をのむ。

77万年の記憶が凝縮した南市原の旅

チバニアン[図4]は数ある大露頭のひとつだ。そこに広がる川底に目を向けると、77万年前の貝の化石や生痕化石をたくさん見つけることができる。深い谷底は、時間を忘れるほど静かで幽玄だ。

　そして集落のある高台に上ると、上総掘りの深井戸から、被圧地下水の自噴水[図5]がとうとうと湧き上がっている。房総半島の傾斜した地層がつくる大地のパワーだ。長い年月を経たその冷たい湧水を口に含めば、きっと養老川とひとつになれるだろう。

　里山の向こうには息をつくような深山幽谷。この特徴ある大地と、そこに人々が工夫して生きてきた跡がこれほどダイナミックかつ興味深く残っている場所が、首都圏からさほど遠くない南市原に凝縮して存在していることは本当に驚きである。

　そういうわけで、これからも機会があれば市原をまだ知らない多くの人を現地にご案内していきたいと思う。養老川の大地の記憶、人々が生きた記憶を皆に知って欲しいから。

図1、3、5 三橋さゆり氏提供

養老川と高滝湖

高滝ダム
高滝駅
旧河道
市原湖畔美術館
市原鶴舞インター
里見駅
被圧地下水の自噴水
旧河道
飯給駅
柿木台第一トンネル
柿木台第二トンネル
月崎駅
川廻しのトンネル
森のラジオステーション×森遊会
永昌寺トンネル
チバニアン
旧河道
月出工舎
月崎トンネル
上総大久保駅
石神菜の花畑
養老渓谷駅
大福山
旧河道
素掘り二層式トンネル
梅ヶ瀬渓谷
遠見の滝（川廻し）

1 km

高滝ダム
Takataki Dam

図1 高滝ダム

高滝ダム[図1]は1970年に実施計画・調査が始まり、20年という歳月をかけて完成した千葉県一の貯水面積を誇るダムである。373億円を投じて建設された。

【建設の経緯】

養老川はたびたび洪水を起こし、周辺に暮らす人々に多大な被害を与えてきた。しかし、河川改修は昭和初期に堤防工事をしたほか、部分的な改修にとどまり、本格的な改修は沿岸住民の長年の悲願だった。

一方、水資源の大部分を利根川に依存する千葉県では、京葉工業地帯の発展とともに増加する人口に対応するため、県内独自の河川水源の開発が急がれていた。

このような経緯から、洪水調節機能を持ったダムを造り、上水道用水の確保、既存の農業用水などの安定した取水を目的とした「多目的ダム」建設計画が誕生した。

しかし、その計画はすぐに地域住民に受け入れられた

図2 水没した加茂地区の高瀧神社の鳥居(1970年) ※

わけではない。ダムに沈む場所には15の集落110戸の
人々が住み、広大な耕地があったからだ。ダム建設の賛
成、反対に地域は揺れ動いた。そのこう着状態から抜け
出すきっかけとなったのは、昭和45(1970)年7月1日、こ
の地域を襲った集中豪雨だった。市原市内南部の河川は
氾濫し、とりわけ加茂地区は壊滅的な打撃を受けた[図2]。
被害は養老川流域だけでも、堤防決壊5、死傷者15、浸水
家屋767にのぼった。1977年建設協定が締結し、用地の
買収、家屋の取り壊し、墓地移転などの交渉の末、建設が
着工。高滝ダム周辺施設の整備とともに1990年ダムは完
成した。

【洪水調節と利水】

ダムの完成と養老川の改修工事により、洪水の被害は
減った。大量の雨が降って河川が氾濫し、被害を与えそ
うな時には、ダム下流に設置されている32局のスピー
カーとサイレン装置によって洪水の警戒と避難が呼びか

けられる。またダムへの流入量が一定量に達した場合、
同時に放流する水量を減らし、「貯め込みながら流す」と
いう洪水調節方式をとっている[図3]。

また、河川をきれいに保ち、既存の農業用水などの安
定した取水ができるよう、ダムで調節して常時放流を
行っている。高滝ダムでは新規開発水量として、千葉県
営水道に一日最大95,000㎥、市原市営水道に最大
43,200㎥が取水される。

【ダムの特徴と湖の現在】

高滝ダムの高さ(24.5m)に比べて頂長(379m)が長く、貯
水容量に比べて堤体積が小さく貯水効率がよい。また日
本では珍しい、軟岩上に基礎を置くため、底幅が大きい。
そのためダムコンクリートの施工はベルトコンベヤ工法
[図4]を採用した。

ダムの建設によって誕生した高滝湖(貯水池)には、ア
ユ、フナ、コイ、ニジマス、ワカサギ等が放流されるとと
もに、これらの水産資源の育成を図るために人工産卵場
(浮産卵礁)が設置されている。また外来種であるブラック
バスも繁殖し、多くの釣り人たちがボートやドームで年
間を通して釣りを楽しんでいる。

一方、湖には毎日、水とともに土砂が流れ込み、年間
18,000㎥の土砂が湖底に堆積すると予測されており、土
砂を取り除く作業が連日行われている。

所在地:千葉県市原市／河川名:二級河川養老川水系養老川
型式:重力式コンクリートダム
ダム高:24.5m／ダム頂長:379m／ダム体積:78,000㎥
総貯水容量:1,430万㎥／常時満水位:標高37.3m
管理者:千葉県／本体着工:1986年／完成年:1990年

図3 洪水時の高滝ダム

図4 ベルトコンベヤ工法

養老川
Yoro River

図5 中流域から五井の工業地帯をのぞむ

養老川[図5]は流域面積245.9㎢、総延長75㎞の千葉県屈指の二級河川である。外房海岸にほど近い清澄山系にその源を発し、北に向かって流れ、蛇行を繰り返しながら古敷屋川、平蔵川、内田川などと合流、市原市五井で京葉工業地帯を貫流して東京湾に注いでいる。

【養老渓谷】
養老川の浸食によって形成された養老渓谷は、その支流の梅ケ瀬渓谷とともに景勝地として知られる。樹木や草花が生い茂り、四季折々に豊かな表情を見せ、特に紅葉は有名である。深い森にはウサギ、サル、イノシシ、シカなどの野生動物が生息し、かつてはアユ、ワカサギ、ウナギなどの漁業もさかんだった。

鉄道や自動車のなかった時代には、養老川は交通や運搬の要路[図6]であり、養老渓谷の林業によって生産された木材や炭を江戸へと運び、また復路では江戸からのさまざまな物資が運ばれ、川沿いには船着き場や旅館もあった。

図6 養老川の川舟　　　　※

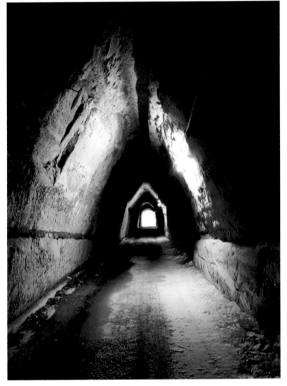

図7 永昌寺トンネル

上図8 木台第一トンネル　下図9 月崎トンネル　　　●

【素掘りのトンネル】

軟らかい地層を工作機を使わず人力で掘った「素掘りのトンネル」[図7、8、9]は、上流域から中流域にかけて特徴的な景観である。房総半島には素掘りのトンネルが全国でもトップクラスの数、点在しており、市原市内だけでも30近くある。明治・昭和初期に掘られたものも多く、丘陵地帯で丘を越えるのを省くためにショートカットのような役割を果たしており、街道から農地や水場に行くための生活道路として使われていた。

【川廻し】

この地域では、江戸時代以降、養老川の蛇行部分のもっとも近いところをショートカットする「川廻し」[図10、11、12]により、旧河道を水田に活用することが盛んにおこなわれてきた。特に平野部が少ない丘陵地帯では川廻しによるトンネルが随所に見られる。

【灌漑技術の発達】

豊富な水量の養老川の水を利用するための技術も発達した。中流域では川面から20m以上も高い耕地にくみ上げ

図10 弘文洞。今から約160年前に川廻しでできたトンネル。
1979年、頂部が崩落した。

図11 川廻し　　　　　　　　　　　　　　　　　　※

図12 川廻しでできた遠見の滝

図13 池和田にあった藤原式揚水機　　　　　　　※

るために藤原治郎吉が発明した藤原式揚水機[図13]が8
か所に設置され、その現物模型は市原湖畔美術館の展望
塔にもなっていた。下流域では、角材を支柱にして厚板
を羽目板に用いた板羽目堰[図14]が6か所に造営された。
　このように先人たちは養老川沿いに荒れ地を切り拓き、
灌漑用水を引いて大地を潤し、川に育まれた固有の文化
を培ってきたのである。

図14 西広板羽目堰

作品紹介

Works

岩崎貴宏
Takahiro Iwasaki

この作品は、養老川の河口に位置する石油化学工場から始まり、中流域の倒壊したゴルフ場、堰、鉄塔、菜の花畑、そして上流の高滝ダム、藤原式揚水機、高瀧神社へと、あたかも時間を逆流するかのように出来ている。

中流域にある巨大なゴルフ場ネットの倒壊は、市原における台風の脅威を可視化させたが、同時に倒壊物を無償で迅速に撤去した会社の存在も全国に知らしめた。これはダムや揚水機、堰といった土木建造物や、肥沃な大地一面に咲き誇る菜の花畑が養老川沿いで見られるように、災害と自然の恵みという表裏一体のエネルギーを巧みに結び合わせ、自然と人工を緩やかに共存させてきたこの地独自のコミュニティの現れのようだと感じた。

目に見えない水で冠水させたようなこの養老川のインスタレーションは、観る人同士の微かな動きや空気の流れと連動し、清濁入り混じった"千の葉"が舞い踊る。流転の地を作品を通して体感していただければと思う。

——岩崎貴宏

《知波乃奴乃》2023
菜の花、雑草、落花生、卵の殻、造花、箸、水糸、ルアー、浮き、木材、浚渫土、釣り糸、収穫ネット、プラスチック

大岩オスカール
Oscar Oiwa

《Yoro River 1》2023　マーカーペン、木炭、紙
《Yoro River 2》2023　マーカーペン、木炭、紙

2023年の春に、私は市原地域を訪れる機会を得ました。そして、千葉の山々から東京湾に注ぐ養老川の流れを車でたどりました。 この作品では、川の流れの物語をシンプルなドローイングで表現しました。絵の中には市原地域の歴史的な遺産である真高寺の山門に登場する動物も描かれています。

——大岩オスカール

尾崎 悟＋松隈健太朗
Satoru Ozaki + Kentaro Matsukuma

《懐かしい家 今もきっとあるところ》2023

《懐かしい家　今もきっとあるところ》

高滝湖に沈んでいる村のことに想いを巡らせると
長い時間が経っているのに今も湖底の村に息づく
もののけたちの気配を感じます。
魑魅魍魎（山に蠢き、川に潜む妖怪）を村人たちは畏れ崇めてきて、
命の恵みをもたらす山河に対する畏敬と感謝、
差別敵対でなく共存を願う。
私たち二人の作家はそれぞれの歴史の中でそれを学び、
共感できたからこそ、この展示は実現しました。

　　　　　　　　　　——尾崎 悟・松隈健太朗

尾崎 悟
Satoru Ozaki

この作品を松隈健太郎に捧げる

「遊びをせんとや生まれけむ　戯れせんとや生まれけん」
君のことを思う時、後白河天皇が編んだこの歌が浮かぶ。
歌の意味をどのように解釈するか悩む必要はない。書い
てある言葉、そのものだからだ。親父さんの造園業を手
伝いながら、樹木の虫喰いをおでこに玉のような汗を光
らせて食い入るように見つめること、そこから樹木に刻
まれた時間や生き物たちの営みを感じ、学び、その時君
の心の中に湧いて出た神様？ 妖怪たち？ それを彫り始
める君の制作態度、それこそが「遊び」だと感じる。それ
をするために生まれてきた人であるかのような君の人生
に、俺は憧れていた。

君に触発されて、今回の展示はステンレスを封印し、自
分も遊ぼうと思った。いや、俺も決して遊んでこなかっ
たわけではないよ。自然から学び、虫や植物と戯れ、それ
を作品の源泉にしてきた。数年前からニホンミツバチを
飼っているんだけど、ミツバチを取り巻く自然の全てか
ら学ぶことは多い。ミツバチを飼育する巣箱の表面に刻
まれた生き物たちの痕跡を見つめていたら、そこに書か
れている全てが手紙、もしくは歌であるかのように見え
たんだ。俺はこの喜ばしい発見を君に伝えたかった。

今回制作したふたつのシリーズ「手紙」を君に捧げたい
と思う。

———尾崎 悟

《手紙2》2023
アルミニウム、木、錫、蜜蝋

《手紙1》2023
アルミニウム、木、鉄、蜜蝋

《涙》2023
アルミニウム、鉄、ステンレス

松隈健太朗

Kentaro Matsukuma

素材として木とふれあっているうちに、年輪や節、失われた枝の痕跡である樹洞（うろ）などに、いのちの軌跡が刻まれた身体性を感じるようになった。

木が花や新芽や実をつけ、葉を落として時のうつろいを知らせる。太古より受けつがれてきた自然のありようを自分のなかに落としこみ、その手に負えない果てしなさを、なろうことなら自分の持てる術によって表現したい。はじめて見るような、どこにでも見かけるような木片たち。私がいま歩み、そして向かっているのは木との開放的で気軽な交感と、死にゆくすべてのいきものたちがかかえる生の抱擁──それを彫る仕事だ。

──松隈健太朗

P50《背を行く日》2022　珊瑚樹、楠、朴木、ホワイトアッシュ
P51《放心塚》2009　欅、石ころ、ゴミ

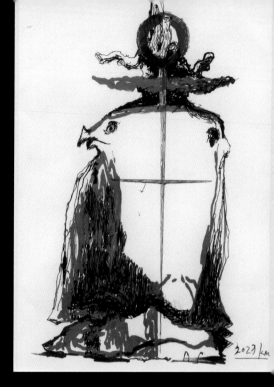

2023 km

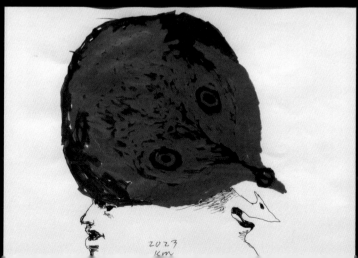

2023
km

加藤清市
Seiich Kato

村の子

高滝ダムは千葉県の中央に位置して、清澄山系から流れ出た水を集めて流れ下る養老川の中流にあるダムである。古から水をたたえているように今も私たちを眺めている。

この地は洪水の常襲地で、特に昭和45年7月1日の大水害は家々の長押の上まで水に浸かる大水害であった。この災害以降ダム建設の話は急速に進展した。幸い私の家は水没を免れたが田畑は水没した。

ダム建設が決まると、住み慣れた家を親戚や隣近所の力を借りて取り壊し焼却して更地で県に引き渡した。また先祖代々の墓を掘り出して移転した。大事に耕作してきた田畑は荒れていった。行屋の片隅で長い年月、村人の会話を聞いてきた仏像たちも移転した。百万遍念佛をただ無心に唱えた人たちの行屋もなくなった。動物と共に暮らした住み家もなくなった。子供のころ遊びまわった川や田畑もなくなった。その村人の内に秘めた気持ちは痕跡となって水の下に消えた。そんな村人が私の中にもいる。

この村がダムになると知って、私は撮影せずにいられなかった。昭和40年代から50年代にかけて私は村の人たちを撮らせていただいた。それを最近デジタル化した。これらがその写真である。

今何事もなかったように光っている湖面を眺めていると、ダムに沈んだ痕跡が浮かんでくるように思う。

——加藤清市

《水没した村の記憶》1970-80年代
インクジェット・プリント（温黒調）

村の子

取り壊し

近所隣りで

惜別

家屋焼却

古文書が出た

家の歴史に引き込まれ

梅干し

老境

動物と共に

村の心 　　　　　　　　　　　　　　　　　　　遺影

墓堀り 　　　　　　　　　　　　　　　　　　　墓堀り

仮埋葬 　　　　　　　　　　　　　　　　　　　行屋の仏像

百万遍念仏 　　　　　　　　　　　　　　　　　手は心

村に生きて

村の集会にて

村の集会にて

ダム完成湛水前

追想

追想

南条嘉毅
Yoshitaka Nanjo

《38m －ネトの湖－》2023
浚渫土、大八車、唐箕、ちゃぶ台、田定規ほか
造形サポート＝カミイケタクヤ
特殊照明＝鈴木泰人
音楽＝角銅真実

湖の底にあるのはどのような風景だったのか。既に消えてしまった風景の断片を集める。

美術館周辺の湖の底には、元の養老川の流れの周辺に広大な田畑があり、その平地と山の境界に集落があった。養老川の氾濫のたびにその田畑は沈み、山々から流れてくる腐葉土や関東ロームの土が肥沃の大地（ネト）を作った。

この作品は、吹き抜けの空間の1階から見る場所を、現在の湖の水位、海抜38mとする。階段を降りると、そこには実際の湖の底に溜まっているネトで作られた大地に、湖に沈む前に使用した農具などの民具や、大八車が浮遊している。そこかしこから漂う音や映像は、そこで暮らす人々の気配や声を感じさせる。

——南条嘉毅

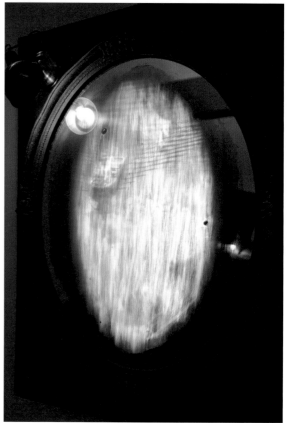

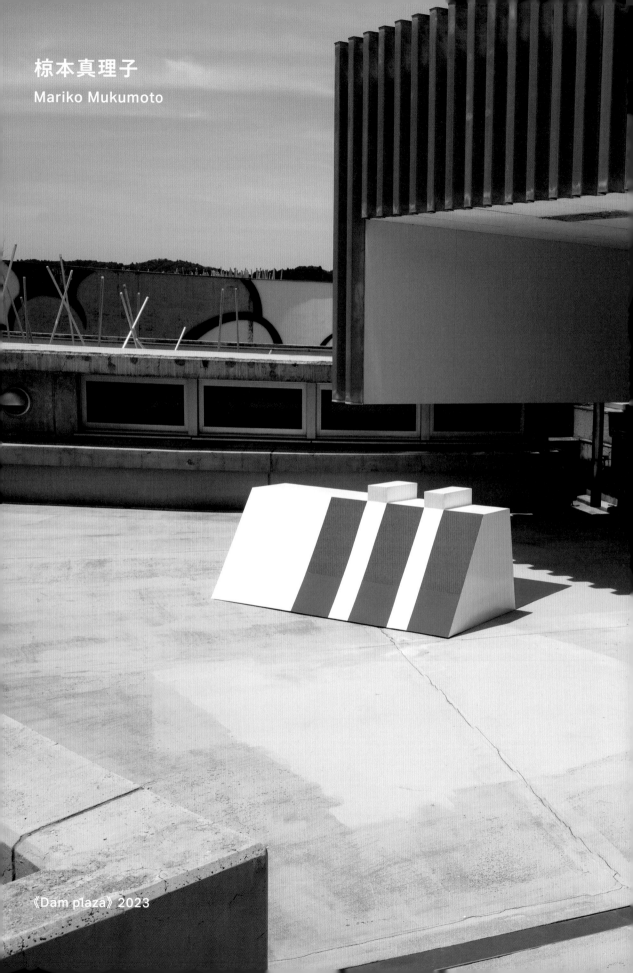

椋本真理子
Mariko Mukumoto

《Dam plaza》2023

ダムや水門といった巨大人工物やリゾート地、もっと身の回りにあるもので言うと花壇や噴水といった、人の手が加わった風景をモチーフに制作をしています。壮大な緑に切り込んでいくコンクリートや人工的に切り取られ持ってこられた自然は、最初感じる違和感から見慣れ、馴染み、生活のなかに無意識に溶け込んでいく。そういった景色を冷静に見たいと思っています。

市原湖畔美術館の屋上は、ダムを想起させるようなコンクリートの構造が多く、散策するうちにダムの一部のような空間だと感じました。高滝ダムのすぐそば、高滝湖が見える場所、ということを意識しながら、いくつか作品をセレクトしました。

──椋本真理子

左《water gate》2011　FRP
右《lower bed(red)》2019　FRP

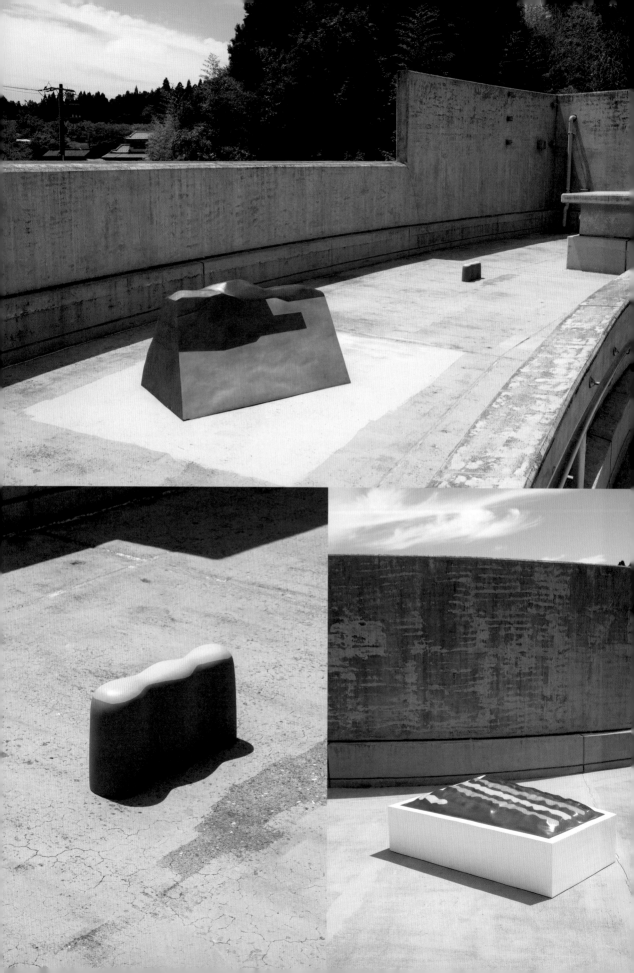

P68上《cut out》2010　FRP
P68左下《flower bed(pink)》2019　FRP
P68右下《flower bed》2012　FRP
P69《flood gate》2022　FRP

P70《fountain(mix)》2019　FRP、ブリキダストボックス
P71《fountain 3》2019　FRP

菊地良太
Ryota Kikuchi

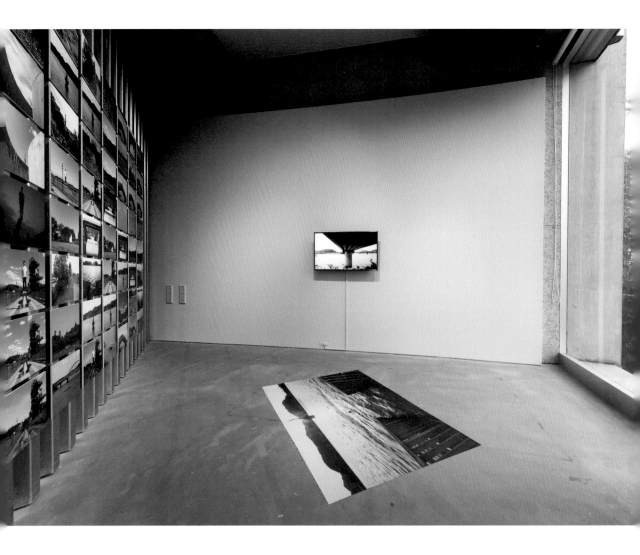

人間には、行けるところと、行けないところがありますが、
その境はどこにあるのでしょうか。
境界線は誰がつくるのでしょうか。
見慣れた日常のなかに自分たちでその限界をきめつけていたりはしないでしょうか。
常識とはいったいなんなのでしょうか。
作品の中に登場しているのは私自身です。
身体を使って社会と対話し自己表現しています。

——菊地良太

《lake side mapping》2023

協力：SIDE CORE／播本和宜／寺田健人／吉田有徳

インタビュー「湖の記憶、川の思い出」

45年災の記憶

小幡修一
（市原市高滝在住）

45年災のすさまじさ

私は高校を出てから五井・八幡エリアでサラリーマンをやっていました。高滝地区に小幡姓は4軒あるのですが、いつから住んでいたのかは、檀家をしていた近所の寺が焼失したことがあって、記録がないのです。その後、飯給の真高寺の檀家になりました。

　私の家は、高瀧神社の秋の例祭で、神輿を馬に乗って先導する武者の役を代々つとめており、私も20代から50年間務めました。今は一宮の乗馬センターから馬を借りるのですが、大昔は農耕馬がいて、馬喰たちがそれを連れてきて、流鏑馬を伝統的にやっていました。

　私の元の家は現在の加茂橋のたもとにある蕎麦屋（一久美）の近くにあり、屋号は「姫路屋」といいました。農業と藍染めをやっていたようです。物置に染のための臼がたくさんありました。母は後妻で入ってきたのですが、私が1歳の時に父が亡くなったので、家の歴史がよくわからないのです。45年災（P25参照）の時は天井すれすれまで浸水して、家の中のすべてがやられました。それまでも何十回となく川が氾濫し、田んぼが全部だめになることも何度もありました。家も床上30cmほどまで水が来ることが年に2、3回はあり、床にやぐらを組んで畳や家具を上げたり、大事なものは天井裏にしまっておりました。ダム建設の前に堤防を造ろうとしていたのですが、その堤防を越えて水が来て、堤防を造りかけた砂が田んぼにのしかかり、稲が全部だめになりました。その砂を取り除く作業が膨大でした。ここに住んでみないとその被害を理解するのは難しいと思います。田んぼを作っていた人間が、お米を買って生きなくていけないような、非常に厳しい時代でした。

　45年災の時は天井裏にまで水がきて、すべてを処分する羽目になりました。親の昔の写真も、私の青春時代の写真も全部なくなってしまいました。蛇行していた川が、一面湖のようになってしまったのです。

　その日、私は五井で働いていましたが、このあたりが大変なことになっているとすぐに聞こえてきました。車で帰ろうとしましたが、水没とがけ崩れで鶴舞駅付近で足止めとなり、線路を歩いていきました。この地域一帯は水没し、筏が組まれ、電線のコードをロープにしてつなぎ、それをたどって救助されたそうです。母は家の片づけをしているうちにどんどん水があがって出られなくなってしまい、格子窓をのこぎりで切ってもらい、脱出したそうです。

集団移転へ

洪水は台風ではなく、集中豪雨によるものでした。このあたりの雨はそれほどすごくなかった。上流に激しく雨が降ってそれが氾濫したのでしょう。自衛隊も機動隊も来て、ヘドロを消防ポンプで流してもらいました。当時は汲み取り便所でしたから、汚く、においもすごいものでした。家を直そうという気力も金もありませんでした。7月1日という日にちは忘れません。

　ダムの建設の話は以前からあり、条件闘争が長引いていましたが、この通りに住んでいた人たちは45年災を機に、一日も早くダムを造ってほしいという流れに転じました。

　移転の時は、茅葺き屋根や耕具は庭に穴を掘って焼却しました。私の家のお墓はもともと高台にあったので移転はありませんでしたが、ダムで沈むことになったお墓は、遺骨を掘って集団墓地をつくり移転しました。

　移転は数年に及ぶ大がかりなものでした。そのまま移転できればいいのですが、私の家は移転のための造成地の中にあったため、まず他の場所に家を借りて3年間住

みました。農家だからいろいろなものがあるわけですが、それを置く場所がないから大変でした。

ダム建設前の暮らし

水害さえなければ、いい農地だったと思いますし、肥沃な土地でした。その恩恵を享けたのは加茂菜でしょう。ここでできた加茂菜はよそとは全然味が違います。現在の高瀧神社には26段の階段が2つあるのですが、昔はもう26段あったのです。そのたもとに坂本屋という旅館がありました。長期滞在の人たちを泊めるための旅館で、富山の薬売りが定期的に来て長く滞在し、自転車で薬を売り歩いていたようです。その方が加茂菜の種をおいていったということです。加茂菜は食用の菜の花で、通常の菜の花とは違います。

　昔はトラクターなどありませんから、どの農家も牛を飼っていました。牛は田んぼを耕すための動力であるとともに肥料の素でした。牛糞と木の葉を重ねて、堆肥をつくるのです。田んぼの面積が広い家は馬を使っていました。速いからです。

　牛に「ウーガ」という農具をつけて田んぼを耕し、硬い土を切ってひっくり返し、その後、「マンガ（馬鍬）」という刃がついた農具で曳くと、水を入れた田んぼがドロドロになります。牛は作業がきついと、口から泡をふいて座りこんでしまうこともありました。

　お祭りの時には、浅草から見世物小屋がやってきて、家の庭で興行していました。お祭りは「けんか祭り」とも言われ、三郷の神輿が激しくぶつかり、その後乱戦になります。山積みにしていた薪が全部なくなったこともありました。一軒分の瓦がなくなったということも聞きました。血だらけの怪我人続出でした。今ではそのようなことは考えられませんが、祭は特別な時間だったのです。

養老川上流での牛耕のようす　　　　　　　　　　　　　※

田植えが進む高滝の風景（1978年頃）　　　　　　　　※

川と共にあった祭りの風景

平田常義
（高瀧神社宮司）

神輿は養老川に入れて、浄められた　　　　　　　　　　※

高瀧神社は社伝では7世紀に創建されたと言われる神社です。当時は地域の人たちのための小さな祠でした。現在の社殿が建てられたのは江戸中期の1727年、幕府のお墨付きを得て「加茂大神宮」と名付けられました。この地域は1967年、市原市に合併するまでは加茂村という名称だったのです。「高瀧神社」と呼ぶようになったのは、明治政府による廃仏毀釈の際、国社として認めてもらおうと『日本三代実録』に記載されていた「高瀧神社」に改称したためです。

　高瀧神社がある松尾山は、山自体がご神体である「神奈備」として信仰され、生い茂る原生林は千葉県の天然記念物に指定されています。ダムができる以前は、神社から現在の加茂橋のたもとにある鳥居まで門前町が拡がり、「カワグチヤ」など川に関係した屋号をもつ家も多くありました。大正時代、小湊鐵道が出来るまでは、川は主要な交通手段であり物資の運搬手段でしたので、高瀧神社は川沿いの立地のよい神社で、春季例大祭では花嫁まつりや稚児行列、秋季例大祭では流鏑馬や神輿の渡御といった行事が盛大に行われていました。三社神輿は養老川に入れ、水しぶきをかけて、浄められました。流鏑馬が行われたのは、この地域には「馬喰」と呼ばれる人たちが馬を奉納し、豊年を祈願していたためです。参道を物凄い勢いで馬を走らせ弓を引く。迫力がありました。

　お祭りの時の神主の家は大変でした。当時はお酒は政府の専売特許制で、店で買う酒は高く、祭りはお酒をたくさん飲める特別な機会でした。大人たちは祭りの前夜からとことん飲む。母や祖母はそうしたお酒を用意するのです。私の家は、流鏑馬のための馬喰の人たちの宿泊所となり、5、6頭の馬が待機していました。

　しかし、こうした祭りは1964年、東京オリンピックの年に神社の屋根替えのために祭りを中断して以降、行われなくなってしまいました。高度経済成長のために村の多くの人たちが東京へ出ていってしまい、祭を担う人がいなくなってしまったのです。私は高校を卒業してから東京の大学に進学し、しばらく都内の神社で働いた後、1972年、27歳の時に神社を継ぐために戻ってきました。私が最初に取り組んだのは祭の復活でした。7～8年もたってしまうと、祭のやり方も忘れてしまいます。神輿を境内の外に再び出して祭りを行うようになったのは、1975年からになります。

　ダムが建設されることとなり、集落の家々が移転し、バラバラになると、祭りの形も変えざるをえず、どのような祭りができるのか模索をしながら現在まで続けてきました。娯楽の場が増え、酒をいつでも自由に飲めるような世の中になり、核家族化が進む中で、祭りは難しくなっています。かつては2300戸あった氏子が今は1800戸。しかし、祭りは、地域の和、コミュニティをつくっていく役割を担っています。露店も含め、それは子どもたちに思い出の風景をつくるものだと思うのです。子どもや若い人が参加できる祭りをどうしたらできるのか、考えています。

神官が馬に乗っていく。馬上は平田常義　　　　　　　　※

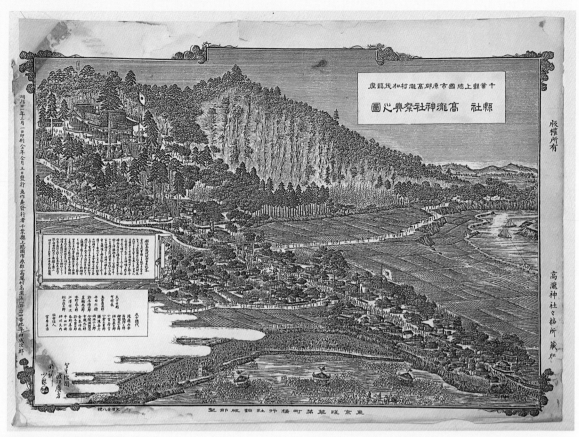

高瀧神社祭礼の図（明治31年発行）

今では見られなくなった流鏑馬の乗馬姿　　※

神輿にまたがり音頭をとる　　※

養老川の恵み

佐藤有一
（田淵在住／養老渓谷ボランティアガイド）

私が生まれ育ち、今も住む田淵は「チバニアン」で有名ですが、養老川の蛇行を変えて農地にする「川廻し（瀬替え）」によってできた土地です。縄文土器が発掘されているので、今から4〜5000年前にはすでに人が住んでいたことがわかります。

　私の子ども時代の遊び場は、川、そして山でした。小学生になると養老川でヤマベ（オイカワ）釣りを始めました。ヤマベは浅いところにも多くいましたので、子どもでも安易に釣ることが出来ました。竿は家にあったものを最初は使っていましたが、10歳位になると自分の竿が欲しくなり、幸いこの地域は竿に適した竹が植生したことから竿職人が月出にいたので、片道一時間かけて、途中、馬頭観音が祀られた祠などで遊びながら「江戸道」と呼ばれる山道を歩いて行きました。月出は大多喜（城）から江戸（城）へと続く江戸時代の街道の途中にありました。そこで、ヤマベ釣りにあったしなやかな釣り竿を近所の子供たちと買いに行った記憶が残っています。

　養老川は緩やかに流れていますが、泥岩や砂の層を削って蛇行しています。その断崖にぶつかったところが深くなり「ふち」ができます。そこは魚が多く集まる場所であり、危険な場所でもあったことから名前を付けて呼ばれていました。「にょうぼうぶち」「ふどうした」「ゆるいぶち」「こぶち」「ならずみ」「せんぺいぶち」「とのす」「おおぶち」「こぶち」「しもほり」「きたさくぶち」「いねぶち」「あど」「ごぶち」「かわばた」「かまんぶち」——高滝湖上流飯給地先から折津地先までの呼び名です。大雨が降るたびにふちの深さや広さが変わることから、「今年の『○○ぶち』はどうかね〜」と言うのです。

　ウナギを初めて釣ったのは小学校5、6年の頃だったでしょうか。ウナギは岩と岩との隙間に潜り、魚が顔の前を通ると噛みつくように食べるので、竹の先に釣り針を仕込んだヤマベを括り付け、ウナギのいそうな岩の隙間に差し込み、ガッと食いついたところでタイミングよく引き上げます。しかし、40〜50センチもあるウナギは激しく暴れ、つるっと抜けてしまいます。まさに感動的な闘いでした。

　山では、きのこ採りや自然薯掘りに興じました。この地域ではかつては林業も営まれていて、養老川流域では炭窯が多く築かれ木炭が焼かれ、木炭や木材は川舟や伍大力船で江戸に運ばれました。江戸との交流が盛んであったことがわかります。

　明治時代には、漢学者・日高誠實が宮崎県から養老渓谷梅ケ瀬に移り住み、植林、しいたけ栽培、養魚、畜産などに尽力されました。彼が理想郷をつくろうとした梅ケ瀬は実に魅力的な自然の風景が広がっています。

　私は数年前から養老渓谷でボランティアガイドをし、養老川沿いを歩きながらこの地の自然、動植物、地形や歴史について説明しています。たとえば、もみじは秋の紅葉が有名ですが、春にはピンク色の花をつけ、それもまたとても美しい。ぜひ見てほしいですね。

　このように、幼少から現在に至る私の人生は、養老川の恵みによって豊かに彩られてきたのです。

川遊びの風景。投網をしている。

川は遊び場だった

征矢貫造
（旅館加茂城／市原観光協会会長）

私が生まれ育ったのは養老。16代続く家の分家で、私はその8代目になりますので根っからの地の人間です。農業を生業としていましたが、祖父の代には醤油醸造もしていました。祖父が高瀧神社のある高滝に旅館「加茂城」を開業したのは東京オリンピックの年、1964年9月、私が10歳の時でした。我が家もそちらに移りました。当時、高瀧神社の参道一帯は門前町のようでした。

小学校4年まで過ごした養老の家は今よりずっと養老川に近く、よく川遊びをしていました。近所の仲間と釣りをしたり、泥だんごを作って川岸の砂場にコースを作って転がして飽きることなく遊んでいました。その泥だんごはとても硬くなり、竹藪の上を越えて投げ飛ばして落としても割れないものもありました。年長の人たちの真似をして、小1の時、竹とテグスと釣り針で仕掛け針を作り、針にミミズをつけて夕方になると川に仕掛けに行きました。翌朝行ってみると魚やナマズ、たまにうなぎが捕れたこともありました。うなぎは、力が強いので仕掛けが壊れてしまいます。

川の水はとてもきれいで、魚が泳いでいるのが見えました。しかし、小学校高学年の頃から次第に汚れていきました。それまでは皆、夏休みになると大人が当番制で見張りをつとめてくれる場所で縄を張った範囲で泳いで遊びました。当時は子どもがとても多く、外で遊ぶのが当たり前で子どもの声があちこちから聞こえてきました。神社の山からも子どもたちの声が聞こえてきました。子どもたちは「地域の子」として育てられ、大人が他の子でも本気で叱る時代でした。

中学に入ると部活で帰宅が遅くなり、年下の子どもたちとの交流もなくなり、高校進学で木更津に下宿してから、都内の大学に進学、就職し、1992年に旅館を継ぐために帰ってくるまで、地域の人との付き合いもなく、地域のこともあまり知りませんでした。

1970年の洪水の時、実家に浸水の被害はありませんでしたが、大雨のために山の斜面の表土がずるっと崩れ落ち、10メートルほどあった庭の池に浮かせていた屋形船を押し出してしまいました。高瀧神社と旅館がある山は軟岩の上に土がのっている状態なのです。その間を通る切通しの道は今よりももっと狭く両側が剥き出しの岩の壁でした。車もほとんど通らなかったので、中学の頃はそこでよく野球のボールを当てバウンドしたボールの捕球の練習をしていました。養老川沿いには軟らかい岩盤を利用した「素掘りのトンネル」がたくさんありますが、旅館にある「洞窟風呂」も、職人さんにツルハシで掘ってもらったものです。

旅館のお客様は、釣りやゴルフなどの観光で利用される方もいますが、仕事関係で利用される方のほうが多いです。ダムができる時も、圏央道ができる時もそうでしたが、まず測量や調査が入り、建設工事という順番で進みます。音信山に大鷹の巣が見つかった時は、工事が一時ストップしたこともありました。

東京から戻ってくるまでの20年間、この地域にも大きな変化がありました。ダムができ、湖ができ、道路が変わり、家が建て替えられ、地形が変わりました。圏央道が走り、市原鶴舞インターができ、人の流れも変わりました。人口が減り、子どもの姿が見えなくなりました。一方で、この10年ほど地域おこし協力隊や若い人たちが入ってくるようになり、いろいろな交流が生まれています。旅館業を営みながら畑仕事をし、仲間と一緒に作業をして美味しい酒を飲み、そういう人たちとも話をする。高滝界隈は面白くなり、里山生活を楽しめていると思います。

加茂城の洞窟風呂

作家略歴
Biography

岩崎貴宏　Takahiro Iwasaki

1975年広島市生まれ、広島県在住。広島市立大学芸術学研究科博士課程修了。エジンバラ・カレッジ・オブ・アート大学院修了。ニューヨークのアジアソサイエティ（2015）、ヴェネチア・ビエンナーレ日本館代表（2017）など国内外で個展、グループ展多数。身の回りの物で作り出す繊細で儚い風景や、見慣れた日用品を別のイメージに移し替えた作品、建築物や工作物の実像と水面に反射する虚像を一体化させた「リフレクション・モデル」シリーズなど、日常の視覚を揺さぶる作品世界を展開。そこには、岩崎が生まれ育ち、現在も拠点とする広島という都市が、原爆により一瞬にして壊滅し、軍事都市から平和都市へと180度転換した経験を介した、岩崎の時間意識が反映されている。2018年、芸術選奨美術部門において、文部科学大臣新人賞受賞。2022年、第33回タカシマヤ美術賞受賞。

主な個展
2015 「岩崎貴宏展　埃（10-10）と刹那（10-18）」小山市車屋美術館、栃木
「岩崎貴宏展　山も積もればチリとなる」黒部市美術館、富山
「Takahiro Iwasaki In Focus」アジアソサエティ、ニューヨーク、アメリカ
2017 「第57回ヴェネチア・ビエンナーレ国際美術展　岩崎貴宏　逆さにすれば、森」日本館、ヴェネチア、イタリア
2023 「岩崎貴宏：厳島・リフレクション・モデル」ヴィクトリア国立美術館、メルボルン、オーストラリア

主なグループ展
2017 「奥能登国際芸術祭2017」
森腰の古民家（三崎地区）、石川
2019 「あいちトリエンナーレ2019　情の時代」
伊藤家住宅、愛知
2021 「日常のあわい」金沢21世紀美術館、石川
2023 「跳躍するつくり手たち：人と自然の未来を見つめるアート、デザイン、テクノロジー」京都市京セラ美術館、京都
「Re:Re」MODEM Centre for Modern and Contemporary Art、ディブレツェン、ハンガリー

主なコレクション
ヴィクトリア国立美術館（メルボルン／オーストラリア）、クイーンズランド州立美術館（QAGOMA）（ブリスベン／オーストラリア）ジャン大公近代美術館（MUDAM）（ルクセンブルグ）、M+（香港、中国）、金沢21世紀美術館（石川）

大岩オスカール　Oscar Oiwa

1965年ブラジル、サンパウロ生まれ、ニューヨーク在住。サンパウロ大学建築学部卒業後、東京の建築事務所で働きながらアーティスト活動を始める。その後、ロンドン、ニューヨークと居を移し、サンパウロ、ニューヨーク、東京を拠点に制作を続けている。独特のユーモアと想像力で、物語性と社会風刺に満ちた世界観を力強くキャンバスに表現。緻密なタッチや鳥瞰図的な構図を使い、新聞記事やネットの中に社会問題の糸口を見出し、入念なリサーチをもとに大画面をしあげる彼の作風のファンは多く、国内外の多くの美術館で作品が収蔵されている。大地の芸術祭、瀬戸内国際芸術祭、奥能登国際芸術祭など国際芸術祭にも多数参加、2019年の金沢21世紀美術館での個展には15万人以上の来場者があった。

主な個展
2008 「夢みる世界」東京都現代美術館、東京／福島県立美術館、福島／高松市美術館、香川（2009）
2018 「Oscar Oiwa in Paradise-Drawing the Ephemeral」ジャパン・ハウス、サンパウロ
2019 「トランスフィア #6 リオ、東京、パリ：都市とスポーツの祭典」パリ日本文化会館、パリ
「光をめざす旅」金沢21世紀美術館、石川
2020 「夢みる世界」USC パシフィックアジア美術館、カリフォルニア

主なグループ展
2003 「旅 ―『ここでないどこか』を生きるための10のレッスン」東京国立近代美術館、東京
2019 「上海都市空間芸術季（SUSAS）」、上海
2021 「奥能登国際芸術祭　珠洲2020＋」旧正院駅、石川
2022 「感覚の領域　今、「経験する」ということ」国立国際美術館、大阪
「瀬戸内国際芸術祭」男木島、香川（2010, 2013, 2016, 2019にも出品）

主なコレクション
東京国立近代美術館、東京都現代美術館、森美術館、金沢21世紀美術館、フェニックス美術館（米国）

尾崎 悟　Satoru Ozaki

1963年東京都生まれ、千葉県在住。1986年東京藝術大学藤野奨学金受賞、作品「鶏」鍛金研究室に買い上げ。1990年東京藝術大学大学院修士課程修了（鍛金専攻）。修了制作「泉」東京芸術大学芸術資料館に買い上げ。1993年東京藝術大学大学院博士課程後期課程修了。アメリカ、シンガポール、オランダ、モナコ、台湾等海外のアートフェアや国際展に多数出展。主に金属を用いて造

形する。長い時間をかけ、丹念に磨き上げられた圧倒的に美しい金属の表面には、実像と虚像、愛と憎しみ、満つる事と虚ろな事、凹と凸など相反するふたつが映し出され、自然、顔、時間、人生、さまざまなストーリーが紡がれる。

主な個展

1986	横浜市大倉山記念館
1993	東京藝術大学大学院博士後期過程研究発表展 野村文化財団 横浜ガレリアベリーニの丘ギャラリー
1996	メタルアートミュージアム光の谷
2002	画廊 鴇
2006	ギャレットインテリア（'07）

主なグループ展

2014	Art Miami、アメリカ（'15, '16, '17, '18, '19）
2015	Art Stage Singapore、シンガポール（'16, '17）
2016	TEFAF Maastricht、オランダ（'17, '18, '19, '20） EAF Monaco、モナコ Art Taipei、台湾 TEAFAF New York Spring、アメリカ
2018	The Modern Minstrels in Metalworking, Lixil Gallery、東京 Sprinkle of Design 第1回「空間と彫刻、それぞれの道」B&B Italia Japan、東京
2019	West Bund Art and Design, Shanghai, China（'20）
2020	Opening Ceremony, A Lighthouse called Kanata, Tokyo, Japan
2021	アートフェア東京2021、東京国際フォーラム
2022	TEFAF Maastricht、オランダ
2023	東京現代

主なコレクション

東京藝術大学、メタルアートミュージアム光の谷（千葉）
龍美術館（中国）、Simian 財団（中国）、Lotus Gallery（ベトナム）

加藤清市　Seiichi Kato

1938年千葉県市原郡高滝村不入生まれ。以来85年この地に暮らす。1963年川崎製鉄株式会社千葉製鉄所へ入社、1967年から会社の業務上で写真撮影、現像、プリント等に携わったことをきっかけに写真全般に関心を持ち独習で写真を学ぶ。1969年、日本報道写真連盟（毎日新聞）に加入。1990年、ニッコールクラブに入る。1970年に高滝ダムの建設計画が決定後、以来湖に沈む村の記録を撮り続ける。2021年、市原湖畔美術館の企画展示「湖の記憶」で1500枚におよぶ写真の一部を発表、その後ニコンプラザ東京での個展、そして今回の「湖の秘密」での展示となる。

主な個展

2013	「浅草散歩」市原湖畔美術館、千葉

2018	「ちゃーちゃんありがとう」ニコンプラザ新宿 THE GALLERY、東京
2022	「水没した村の記憶」ニコンプラザ東京 THE GALLERY、東京

主なグループ展

2021	市原湖畔美術館 戸谷成雄展関連企画展「湖の記憶」にて、水没する前の村の写真「村落残懐」を発表、その他グループ展多数

菊地良太　Ryota Kikuchi

1981年千葉県生まれ、千葉県在住。東京藝術大学大学院美術研究科先端芸術表現専攻修了。「フリークライミング」の手法で自らの身体を用いて風景に介入し、そのパフォーマンスの様子を写真や映像に記録している。当館にて、2018年に開催されたSIDE CORE との共同キュレーションによる企画展「そとのあそび 〜ピクニックからスケートボードまで〜」では、市原湖畔美術館の建物を舞台に行なわれたパフォーマンスの記録が屋上広場を中心に館内各所に展示された。フリークライマーとしての独特の視点を美術表現へと変換させ、都市や風景に内在する様々な領域や境界線を可視化させる作品群は、見慣れていた日常に新たな気づきを与える。

主な個展

2014	「ぼーけん」island MEDIUM、東京
2016	「尊景」KANA KAWANISHI GALLERY、東京
2019	「尊景」鉄道博物館、埼玉

主なプロジェクト

2023	「SIDE CORE×しょうぶ学園」東急歌舞伎町タワー THEATER MILANO-Za、東京

主なグループ展

2018	「そとのあそび展　〜ピクニックからスケートボードまで〜」市原湖畔美術館、千葉
2019	「尊景」鉄道博物館、埼玉
2021	「北アルプス国際芸術祭2020-2021」長野
2022	SIDE CORE「路・線・図・II」Gallery Trax、山梨
2022	「icon contemporary photography II」AXIS Gallery、東京
2023	「TARA JAMBIO ART PROJECT 展」香川

南条嘉毅　Yoshitaka Nanjo

1977年香川県生まれ。東京造形大学研究科（絵画）修了。東京、和歌山を拠点に、風景とその場所性テーマとしたインスタレーションや絵画作品の制作活動を各地で展開する。制作対象の場所に赴き、取材や調査を繰り返し、現在だけではなく歴史的・地理的

側面からもその土地を考察し、複層的な表現方法をとる。また制作場所の土壌などを用いることで、場所が持つイメージや時間を付与する試みも行う。その根底には絵画の場所性に対する作家の試行が垣間見える。2017年奥能登国際芸術祭以降は、土、砂を主要な材料に、音と光を加えたノスタルジックな劇場型のインスタレーションという新たな表現方法を確立。奥能登国際芸術祭2020＋ではアーティストとしてだけでなく「スズ・シアター・ミュージアム 光の方舟」のキュレーションと演出も担った。

主な個展

2003	「東京都渋谷区神宮前5-46-13」ギャラリーエス、東京
2013	「―シンクロ―風景の同時性」高松塩江美術館、香川
2017	「―overlay ―時層の風景―」Galerie Grand E' terna a Paris、フランス
2023	「senne」アートフロントギャラリー、東京

主なグループ展

2008	釜山国際環境芸術祭2008、韓国
2012	大地の芸術祭2012、新潟
2015	「AiR Nordland」ヌールランカルチャーセンター、ノルウェー
2017・2021	奥能登国際芸術祭2020＋「スズ・シアター・ミュージアム 光の方舟」、石川
2019・2022	瀬戸内国際芸術祭、春会期／沙弥島、香川 香川県文化芸術選奨受賞

コレクション

高松市美術館、坂出市民美術館、和歌山市民図書館（壁画）

松隈健太朗　Kentaro Matsukuma

1968年和歌山県生まれ、茨城県取手市育ち、千葉県柏市在住。1994年東京藝術大学大学院美術研究科彫刻専攻修了。2017年「Art in the office 2017 CCC AWARDS」グランプリ受賞。父親の造園業を手伝いながら、そこで出合った廃木材や流木を用い、その形状や自然の中での営みを見つめながら、「生きる」をテーマに彫刻作品を制作。2023年2月、膵臓癌のため逝去。

主な個展

2002	「ガレリアグラフィカ bis」東京
2005	青樺画廊、東京
2010	「2010年度 由布院駅 アートホール 企画展」大分
2015	「ナガイレーベン株式会社 創業100周年記念特別展」 いとな GALLERY、東京 gallery UG（馬喰町 東京）
2016	Sakoda Art Gallery、兵庫

主なグループ展

2005	日韓友情年2005記念事業認定＝日韓交流展＝「未来は今

日から展」北漢江gallery、韓国

2013	「都市伝説」展 CAPITAL ART CENTER TAIPEI、台湾 YOUNG ART TAIPEI 2013 シェラトンタイペイホテル、台湾
2014	「Laissez-fair」展、上野の森美術館、東京
2016	「西宮船坂ビエンナーレ」兵庫
2017	「Art in the office 2017 CCC AWARDS」展、代官山 T-SITE ガーデンギャラリー、東京

椋本真理子　Mariko Mukumoto

1988年神奈川県生まれ、東京都在住。2013年武蔵野美術大学造形研究科美術専攻彫刻コース修了。ダムや水門などの巨大人工物や、噴水や花壇、リゾート地といった、人の手によって造られ整備・管理されていくなかで私たちの生活に溶け込んでいく人工物をモチーフに、FRP（強化プラスティック）を用いた彫刻作品を制作している。ダムマニアとしての一面も併せ持つ椋本のダム・デビューは小学校の遠足で訪れた宮ヶ瀬ダム。子どもながらに巨大なコンクリートから水が噴き出ている、人間のスケールを遥かに超えた建造物にただただ圧倒された記憶があるという。椋本の彫刻が持つ、単純化された形と鮮やかな色彩から生まれる独特な表情は、自然と人工風景の境界線の曖昧さについて考えさせる。

主な個展

2020	「fountain」SHINBI Galley、東京 「マイ・ガーデン」NADiff Window Gellery、東京
2021	「fountains」亀戸アートセンター、東京
2022	「concrete temple」 artstudio NAZUKARI WAREHOUSE、千葉
2023	「ダムとその周辺」Pottari gallery、東京

主なグループ展

2019	「LUMINE meets ART AWARD 2018-2019」LUMINE新宿ショーウィンドウ、東京 「法々面」荻野僚介＋椋本真理子、switch point、東京 「でんちゅうストラット 星をとる」小平市平櫛田中彫刻美術館、東京
2020	「Mのたね」武蔵野美術大学市ヶ谷キャンパス1F 共創スタジオ／MUJIcom、東京
2021	「みとう」衣川明子、長谷川さち、椋本真理子、照恩寺、東京 「テラスアート」テラスモール湘南、神奈川

コミッションワーク

2023	「purple curtain」東急歌舞伎町タワー 109シネマズプレミアム新宿、東京

作品リスト
List of Works

作品データは、作家ごとに、
作品名、制作年、技法・素材、
サイズ(cm／縦×横×奥行)の
順で記載した。

1｜岩崎貴宏
知波乃奴乃
2023年
菜の花、雑草、落花生、卵の
殻、造花、箸、水糸、ルアー、
浮き、木材、浚渫土、釣り糸、
収穫ネット、プラスチック
サイズ可変

2｜大岩オスカール
Yoro River 1
2023年
マーカーペン、木炭、紙
293×690

3｜大岩オスカール
Yoro River 2
2023年
マーカーペン、木炭、紙
294×690

4｜加藤清市
水没した村の記憶
1970-80年代
インクジェット・プリント
(温黒調)
21×29.7(24点)、
118.9×84.1(1点)、
29.7×42(8点)

5｜尾崎 悟
涙
2023年
アルミニウム、鉄、ステンレス
201×101×11

6｜尾崎 悟
手紙1
2023年
アルミニウム、木、錫、蜜蠟
212×97.5×6.5

7｜尾崎 悟
手紙2
2023年
アルミニウム、木、鉄、蜜蝋
185.5×307×5

8｜松隈健太朗
ドローイング
2023年
紙、ボールペン
サイズ可変

9｜松隈健太朗
背を行く日
2022年
珊瑚樹、楠、朴木、
ホワイトアッシュ
サイズ可変

10｜松隈健太朗
放心塚
2009年
欅、石ころ、ゴミ
サイズ可変

11｜南条嘉毅
38m - ネトの湖 -
2023年
浚渫土、大八車、唐箕、
ちゃぶ台、田定規ほか
サイズ可変

12｜椋本真理子
fountain (mix)
2019年
FRP、ブリキダストボックス
52×60×18

13｜椋本真理子
fountain 3
2019年
FRP
45×15×20

Dam plaza
2023年

14｜椋本真理子
flood gate
2022年
FRP
20×45.5×20

15｜椋本真理子
cut out
2010年
FRP
79×125×68

16｜椋本真理子
flower bed (pink)
2019年
FRP
23×39×10.5

17｜椋本真理子
water gate
2011年
FRP
76×183×170

18｜椋本真理子
flower bed (red)
2019年
FRP
17×117×39

19｜椋本真理子
flower bed
2012年
FRP
37×114×143

20｜菊地良太
lake side mapping
2023年
パネルにプリント(80点)、
布にプリント、漂流物、
映像(24分)
サイズ可変

21｜菊地良太
lake side mapping
2023年
プリント、マネキン
サイズ可変

22｜菊地良太
lake side mapping
2023年
プリント、マネキン
サイズ可変

23｜菊地良太
lake side mapping
2023年
ターポリンにプリント、木材、
スタイロフォーム
サイズ可変

24｜菊地良太
lake side mapping
2023年
木、人形
サイズ可変

25｜菊地良太
lake side mapping
2023年
布にプリント、木材
サイズ可変

謝 辞

本展開催にあたり、多大なご協力を賜りました下記の諸機関、関係者の皆様に深く感謝の意を表します。(敬称略・順不同)

友枝望／伊藤大寛／小田浩次郎／鬼河ひなた／田村晴／山田唯乃／
竹田すず／北野さくら／木村音／堀内怜彩／Anomaly
Oscar Oiwa studio
西岡美千代／ニーナ・ボグシェフスカヤ／蠣崎良治／加藤貢介
本山ひろ子／布施一忠／勝又颯大
千鶴／鈴木弘幸
SIDE CORE／播本和宜／寺田健人／吉田有徳／加茂城／
株式会社ジャパンネットワークサービス

カミイケタクヤ／鈴木泰人／角銅真実
松隈雅江／山口桂志郎／新妻篤／柏瀬祐之／月森新
小滝タケル(square4)／成田輝(square4)／
森洋樹(square4)／椋本友美子／稲垣侑子／八木麻里
三橋さゆり／吉野英夫
角井政則
佐藤有一
芝﨑浩平
征矢貫造／平田常義／積田英幸／積田正美／吉野満
小幡修一／佐久間清／深山孝子／深山康彦／小林信明／櫻井夕子
菜の花プレイヤーズ

[展覧会]

湖の秘密 —川は湖になった

会期：2023年7月15日[土]−9月24日[日]
主催：市原湖畔美術館[指定管理者：株式会社アートフロントギャラリー]
後援：市原市教育委員会
協力：一般社団法人市原市観光協会、市原DMO、市原歴史博物館、小湊鐵道株式会社、高滝湖観光企業組合、高滝湖企業連携プロジェクト会議、千葉県高滝ダム管理事務所、有限会社元木養鶏、養老川漁業協同組合、養老渓谷観光協会

出展作家：岩崎貴宏、大岩オスカール、尾崎 悟、加藤清市、菊地良太、南条嘉毅、松隈健太朗、椋本真理子

企画：前田 礼(市原湖畔美術館館長代理)
制作監理：戸谷莉維裟(市原湖畔美術館)
広報デザイン：大西隆介、沼本明希子(direction Q)
会場設営・展示：株式会社 Office Toyofuku

[イベント]
1 南条嘉毅ワークショップ「見えないものを見るために」2023年7月16日[日]
2 「ダム×アート」対談 2023年7月29日[土]
　出演：椋本真理子(出展アーティスト)
　　　　三橋さゆり(ダムマイスター／日本建設情報総合センター審議役)
3 菊地良太ワークショップ「ARTIST WALK TOUR＠高滝湖」
　2023年9月9日[土]
4 フォーラム「湖の記憶、川の思い出」2023年8月11日[金・祝]
　出演：加藤清市(出展アーティスト)、芝崎浩平(市原歴史博物館)

[図録]

湖の秘密 —川は湖になった

発行：2023年9月5日

発行所：市原湖畔美術館[指定管理者：株式会社アートフロントギャラリー]
　　　　〒290-0054 千葉県市原市不入75-1
　　　　https://lsm-ichihara.jp/

編集・執筆：前田礼、戸谷莉維裟(市原湖畔美術館)
地図制作：吉田健洋(一般財団法人日本地図センター)
デザイン：大西隆介(direction Q)
写真：田村融市郎(P1-P13、P30-P74)
　　　●印の写真は市原市観光協会提供
　　　※印の写真は『写真集／市原市の昭和史』(千秋社)より転載

印刷・製本：株式会社イニュニック

発売：株式会社現代企画室
　　　〒150-0033 東京都渋谷区猿楽町29-18
　　　ヒルサイドテラスA8
　　　TEL: 03-3461-5082　FAX: 03-3461-5083
　　　http://www.jca.apc.org/gendai